KB178298

시선집: 삶을 바라보는 시선

알파 정명진 김지호 이세연 손바울 박예슬 뽀뽀리

엮은이 정재운

시선집: 삶을 바라보는 시선

발 행 | 2024년 04월 30일
저 자 | 알파 정명진 김지호 이세연 손바울 박예슬 뽀뽀리
엮은이 | 정재운
펴낸이 | 한건희
펴낸곳 | 주식회사 부크크
출판사등록 | 2014.07.15.(제2014-16호)
주 소 | 서울특별시 금천구 가산디지털1로 119 SK트윈타워 A동 305호
전 화 | 1670-8316
이메일 | info@bookk.co.kr

ISBN | 979-11-410-8320-5

www.bookk.co.kr

시선집: 삶을 바라보는 시선

알파 정명진 김지호 이세연 손바울 박예슬 뽀뽀리

엮은이 정재운

BOOKK

서문

정말 감사하고도 놀라운 일입니다. 2023년의 5월, 첫 시작을 알린 시선집 프로젝트가 어느덧 열 번째 책을 세상에 내놓게 되었으니 말입니다. 관심과 사랑으로 응원해주신 모든 분께 진심을 다해 감사의 말씀을 전합니다.

이번 시선집은 조금은 무거울 수도 있는 주제로 진행하였습니다. 〈삶〉이라는 주제로 말입니다. 삶이란 도대체 무엇일까요? 우리 시인님들의 시선에 담긴 삶이란 어떤 모습일지 궁금증을 가지고 원고 마감일을 기다렸습니다. 그리고 시인님들의 시선에 담긴 삶의 모습들을 이 시선집에 담았습니다.

이번에도 이 시선집에게 소중한 시간을 내어주신 독자 여러분께 이 책이 심심한 위로를 건네는 선물과 같기를 간절히 바랍니다.

2024년 4월,

엮은이 정재운

차례 _

첫 번째 시인, 알파

E-mail: alphaandomega4321@gmail.com

시 속에는 함축적 의미는 물론 사람과 사람이 만들어 낼 수 있는 비언어적인 소통을 가장 감동감 있게 표현할 수 있는 하나의 수단입니다. 시에 나타낼 수 있는 글 이상의 감동과 의미를 나타내 보고자 해당 시선집 프로젝트에 참가하게 되었습니다. 다른 에세이 형식으로 공동 출간은 해 보았지만 시는 이번이 처음이라서 진솔한 감정으로 시에 있는 감정을 나타내고자 합니다.

건강이 최고다.

학창 시절 고등학교 중국어 선생님께서 강조하셨던 두 자리의 글자 '건강(健康)'

건강이 없으면 아무리 돈이 많아도 소용이 없고, 수능 성적에서 좋은 점수를 맞아도 소용이 없다고 하신 말씀.

한 시대의 역사책에 기록된 진시황도 불로장생을 찾은 이유가 결국에는 젊은 시절 때 건강을 계속 누리고 싶은 이유가 아닌지 세계사를 공부하면서 생각합니다.

처음에는 동의가 되지 않았지만 한 번 각막미란으로 몸이 아프고 나서 선생님의 말씀이 생각이 납니다.

'재벌집 막내아들'에서 나오는 순양 진양철 회장도 결국에는 건강 악화로 인해 쓰러지게 됩니다. 재벌 또한 건강 앞에서는 인생이 일장춘몽이 되고 맙니다.

이러한 이유로 인해 친척들이 명절 때 건강 관련 이야기를 많이 하십니다. 생로병사의 비밀이 중장년 층 분들에게 인기가 많은 프로그램이 되지 않았나 싶습니다.

예전에는 재미가 없었던 프로그램이었지만 망막박리와 함께 건강 관련 생활상식을 즐겨보는 본인을 보면서 건강의 중요성이 이제 몸에 와 닿다 봅니다.

운동을 하라는 아버지의 말씀, 이제는 적극적으로 실천하고 우선순위에 두어야 하지 않나 싶습니다.

피카소와 한자로 본 세상

나에게 있어서 이해할 수 없는 대상 피카소
사람의 얼굴을 괴물 그리듯이 그리는 화가
처음에 보고 요괴 인간을 본 줄 알고 놀랐던 나

커서 보니 얼굴에서 다양한 표정을 담은 사람들
사람들의 표정을 보면서 그림을 이해하는 나
이것이 문학에서 이야기 하는 물아일체인가

한자 또한 마찬가지의 그림으로 만든 상형문자
글 속에 감추어진 그림을 깨달으면서 배우는 가르침
글자를 만든 선조들과 원격으로 소통하는 나

보이지 않는 소통의 매개체 그림과 한자
이를 감상하고 때로는 글로 읽으면서 하는 소통

한자 속에 감추어진 단어를 만들어 이룩한 문명
이러한 본질을 이해하는 것이 동양의 시작인가 보다.

보이지 않는 세상 바라보기

세상은 합리성과 비합리성이 섞여 있는 존재이다.
합리적이라는 시스템 아래 내재되어 있는 비합리성
심리학에서는 인간의 확증편향으로 이를 표현한다.

카를 포퍼는 열린 사회와 그 적들이라는 책에서 시스템이 만들어낸 인간의 비합리성에 대해서 비판을 한다.

로스차일드 가는 정보의 격차와 인간이 가진 비합리성을 이용하여 주식시장에서 막대한 돈을 벌었다.

경제학 노벨상 수상자들이 만든 투자회사 LTCM은 러시아 정부가 돈을 갚을 수 있을 막연한 생각으로 비합리적 의심의 부재로 순간에 파산을 맞이하게 되었다.

인도를 보더라도 아무것도 없는 빈 숫자이지만, 다른 숫자들과 모이면 막대한 숫자가 되는 0을 만들어냈다.

0을 만들어낸 국가이지만 현대 사회에서 보기에는 비합리적인 시스템이 존재하고 있다. 언뜻 보기에는 비합리적으로 볼 수 있지만, 그 당시 시대의 변화 때에는 그나마 합리적인 방법을 선택한 것일 수 있다.

봉건제와 같은 시스템은 근대 및 현대에서 하나의 적폐로 비판을 받았다. 하지만 전란이 끊이지 않는 시대에서는 최선을 다한 선택이었다. 하지만 현대에 와서 해당 시스템의 유효성에 문제가 커지게 되고 민주주의라는 시스템으로 대체가 되는 흐름을 볼 수 있어야 한다.

이러한 흐름을 다양한 시대적 관점으로 바라볼 수 있어야지만 사회와 세상을 이해할 수 있다. 그런 사람들이 하나의 조직과 국가를 살리는 지도자들이며 현대 사회에서 필요한 솔루션 메이커가 아닌가 생각하게 된다.

의학에서 사람의 몸도 다양한 증상과 유전적인 질병을 수반하는 만큼 하나의 일관된 선택으로 대처를 하는 것이 아닌 다양한 경우의 수를 읽어내는 의사가 명의라고 칭송을 받는다. 이러한 다양한 상황을 하나의 종합적인 해결책을 만들어주는 사람이 되었으면 좋겠다.

다양한 사람들이 모여서 만드는 플랫폼

만남과 해어짐이 반복되는 연속이 인생입니다.

한용운 선생님께서는 자신의 시에서 이를 회자정리, 거자필반이라는 한자 성어로 나타내셨습니다.

다양한 RPG 게임에서도 주인공들이 세상을 구하는 목적으로 만나다가도 목적을 이루면 헤어지게 됩니다.

초등학교 동창들과 졸업 후에는 같은 학교로 진학을 하는 것이 아닌 이상 다른 친구들과 만나게 됩니다.

군대도 전역을 하고 난 이후 군대라는 같은 길 속에 있던 사람들이 제 각각의 길로 흩어지기 시작합니다.

하지만 우리는 그 당시 같이 만들었던 추억 하나로 일치가 되며 이는 사람의 순간을 의미 있게 만들어줍니다.

현재에는 시간과 공간을 뛰어넘어서 살 수 있는 시대라고 합니다. 인터넷을 통해서 다양한 세계의 사람들을 만날 수 있는 것은 물론 예전에는 갈 수 없었던 유럽이나 미국도 비행기를 타고 12시간이면 갈 수 있습니다.

인생에서 여행은 물론 온라인 플랫폼을 통하여 만나는 사람들이 다양해졌습니다. 다양한 사람을 통해서 하나의 가치를 만들어 낼 수 있으며 연결이 됩니다.

하나의 봉사활동 모임을 통해서 쪽방촌에 계시는 선생님들께 봉사자들이 모여 3시간이라는 시간 내에 3000장이 넘는 연탄을 전달해 드릴 수 있습니다.

주말 4시간의 시간을 내서 유기견 보호소에서 유기견들과 소통하고 강아지들과 소통할 수 있는 시간을 통하여 일상에 대한 감사함을 느낄 수 있었어요.

책을 내는 플랫폼 모임을 통해서 공동 출간을 해 볼 수도 있고, 나의 원고가 세상과 공유될 수 있습니다. 다양한 상황을 집단지성이라는 모임을 통해서 하나의 긍정적인 변화를 일으킬 수 있는 온라인 플랫폼이 있습니다.

제주도 게스트하우스에서 다른 사람과의 만남이 될 수도 있으며, 산티아고 길에서 만나는 분이나 온라인 플랫폼에서 배움이 하나의 만남이 될 수 있습니다.

특히 산티아고 같은 곳에서는 전 세계 사람들과 영어를 기반으로 각자 다른 배경 속에서 하나의 이야기를 나눌 수 있습니다. 다양한 상황에서 다양한 접근 방식과 생각을 공유하면서 다른 삶을 배워나갈 수 있습니다.

생각해 보면 세상은 일차방정식에서 나오는 해법이 아닌 다양한 방법과 해결책이 나올 수 있는데 너무 단순한 틀만 염두해 두고 살지 않았나 돌아보게 됩니다.

혹은 일일 아르바이트를 하면서 해당 업계의 대표분과 이야기를 나누는 과정에서 해당 업계가 어떻게 돌아가는지 하나의 세계를 배울수 있는 기회가 될 수 있습니다.

인생에 있어서 다양한 경험을 통하여 나만의 사람을 담을 수 있는 플랫폼을 만들어 보아요. 이를 통해 다양한 사람을 담을 수 있는 내가 되었으면 해요.

우선 무엇이던지 미숙하더라도 시도해라.

처음은 미약하지만 끝은 창대하리라.
다양한 위인들과 거인들이 처음에 한 이야기였다.

삼성의 이병철 회장은 삼성상회에서 사업을 시작했다.
현대의 정주영 회장은 쌀 배달에서 사업을 시작했다.
작은 시작이 모여 하나의 가치와 성과를 만들었다.

사업이 확장되어 삼성이 반도체로 진출할 때 실패 속에 삼성은 성공을 거두었고 삼성전자가 만들어졌다.
현대는 고령교 건설과 해외 건설 시행착오를 통해 현대는 중동의 건물을 만들었고 현대건설이 되었다.
현재에는 많은 스타트업들이 시도를 통해서 다양한 비즈니스 모델을 만들어내고 인공지능의 시대를 이끈다.

이렇게 시집 출간을 하는 것도 하나의 시작이다.
처음이라 글이 엉성해도 하나의 경험치가 쌓인다.
경영학에서는 이를 경험곡선이라고 표현을 한다.

시행착오를 거치지 않는 과정은 없다.
자전거를 타면서 넘어지지 않는 사람이 몇 명일까.
수영을 하면서 물을 먹지 않는 사람이 몇 명일까.
유명한 운동선수들도 처음에는 시행착오를 겪었다.

김연아도 트리플 악셀로 최고득점을 하기 이전에 찧은 엉덩방아만 수천 번이라고 한다. 하지만 이러한 시행착오가 자신을 정상에 올려놓았다고 이야기를 한다.
도자기 장인들도 하나의 수작을 만들기 전에 공방을 보면 깨진 도자기들이 수두룩하여 놀란 적이 있다.

처음에는 자신이 일을 다소 못하고 혼을 나더라도
그러한 과정에서 하나씩 배워간다는 생각으로
자신만의 경험곡선을 쌓는 시간을 보낸다면 어떨까.

그렇게 된다면 어느새 자신이 다른 사람들을 가르치고 이해를 할 수 있는 시간이 올 것 이라고 생각한다.
도전을 하는 사람들에게 찬사와 경의를 보낸다.

두 번째 시인, 정명진

Instagram: @ggoma_story

살아가면서 느낀 감정을 글로 읽으려 시를 씁니다.

우리는 모두 살아가면서 기쁨, 슬픔, 행복, 아픔, 힘듦 등 수많은 감정을 느끼며 살아갑니다. 그리고 그 시간이 지나면 언제 그랬었냐는 듯 또 잊고 살아갑니다. 그렇게 잊혀가는 감정들이 아쉬워 글로 남겨 기억하려 합니다. 잊어야 앞으로 나아갈 수 있다고들 하지만 기억해야만 하는 감정들도 있기에 시에 담아봅니다.

이정표

어디로 가야 하나요
이 길 끝엔 뭐가 있나요
눈앞에 갈림길
어느 쪽이 맞는 길인가요

황량한 먼지만 날리는 길도
알록달록 꽃이 핀 길도
숲으로 걷기도, 산으로 걷기도
지금 여기가 맞는 길인가요

이정표 하나 놓아주세요
여기로 가라, 저기로 가라
누가 나에게 이야기해 줘요
저 길 앞이 어두워 겁이 나요

지나가는 이에게 물어도
아무런 대답이 없어요
그저 나와 같은 얼굴을 하곤
그들도 갈팡질팡하네요

맞다, 틀리다 할 수도 없어요
빙빙 돌아가는지, 빠른 길인지
모르지만 어쨌든 나는 오늘도 걸어요
목적지는 있으니, 오늘도 걸어요.

삶이란

삶이란 한 편의 영화 같다
내가 조연으로 누군가의 삶에 존재하고
내가 주인공으로 내 삶에 존재한다
조연으로써 다른 삶을 응원하고
주인공으로서 나의 삶을 살아간다

삶이란 그렇더라
'왜 나에게만?'이라는 주인공 시점에서
조연의 시점이 되면 '괜찮아, 잘 될 거야.'
라고, 이야기할 수 있더라
내가 나에게도 그럴 수 있으면 좋으련만
주인공에겐 늘 각박한 삶이다

삶이란 늘 동화를 동경하더라
늘 행복으로 끝나는 이야기를
힘들었던 주인공이 결국엔 성공하는
베풀며 살았더니 돌아왔더라도 하는 교훈을
늘 동경하고 바라며 살더라

삶이란 결국 열린 결말이더라
어릴 적 보던 동화처럼
'행복하게 살았습니다.'로 끝나지 않더라
그 뒤에 정말 행복했을지는
결국 주인공만 아는 결말이더라

인생이란 영화

누구나 주인공이길 꿈꾼다

드라마를 보면서,
영화를 보면서,
하물며 소설책을 보면서도
우린 그 안에 주인공이 우리길 바란다

하지만, 우리도 주인공이다
'인생'이라는 화려한 영화에
하나뿐인 주인공이다

수많은 조연과 함께하고,
때로는 로맨스 또 때로는 액션으로
퍽퍽한 삶의 기본은 다큐멘터리 아니겠는가

고난과 역경을 이겨내고 성공하는 드라마
사랑이 아파 울고 행복해 웃는 로맨스 영화
지각할까 아침마다 뛰어가는 액션영화
우리의 매일이 영화가 아니겠는가

우린 각자의 삶 안에 유일한 '주인공'이다
넘어져도 일어날 힘이 있는
아파도 털고 다시 나아갈 수 있는
때론 위로를 받고, 주는

우리는 오늘도 한 장면을 찍는다
때로는 찬란하게, 때로는 칙칙하게
어떠한가 이 모든 게 '주인공'인 나를 위해
마련된 가장 큰 무대이거늘

오늘도 난 나의 삶을 써나간다
누군가가 나를 보며 힘을 얻고,
내가 누군가를 보며 힘을 받아
주인공은 쓰러지지 않으니까

찬란했던 시절

영원할 줄 알았던 시간은
내 마음도 모르고 속절없이 흘러
아직은 덜 자란 나를 지나쳐간다

아직 다 이뤄보지도 못 했는데
뭐가 그리 급했기에 그리 흘렀나
놓쳐버린 모든 게 후회로 남는다

잊지 못 할 옛 추억도
깊어진 주름에 새겨 얼굴에 담아
조금씩 옅어지는 청춘을 기억한다

나조차도 모를 이 주름의 깊이를
누가 알아줄 수 있나
그저 아무 말 없이 거칠어진 손으로 어루만질 뿐
흘러가는 청춘을 잡아 둘 순 없었다

시간은 흐르고 계절은 돌아오지만
내 청춘은 그곳에 머문다
머물 수 없는 건 '나'이기에

어느새 작아진 사람

어린 시절 당신의 어깨는
그 어떤 산보다 듬직했고
나는 그 산 아래 그늘에서
단단한 보호를 받으며
나의 꿈을 키웠다

내가 넘어지면 와서
괜찮냐며 일으켜줬고
내가 울면 안아주며
괜찮다고 토닥여줬다
나는 그렇게 자랐다

어느새 나보다 작아진 사람
단단해 보였던 어깨는
그간의 삶이 고단해
어느새 바람 빠진 풍선처럼
힘없이 축 처져있다

어느새 나보다 작아진 사람
크고 포근했던 손은
그간의 노고가 녹아
어느새 앙상한 나뭇가지처럼
거칠고 말라버렸다

나를 보호 하던 산은 이제
나의 산 아래에서 쉬어간다
나를 토닥이던 손은
나의 손을 잡고 걸어간다
내가 그들의 울타리가 되어주려한다

세 번째 시인, 김지호

Instagram: @jihobonge

대한민국의 평범한 초등학생입니다. 엄마 등쌀에 못 이겨 격주로 도서관에 가는 것을 즐기다 보니 빨간 머리 앤을 좋아하게 되었습니다. 나의 자랑스러운 엄마와 아빠, 육아로 고생 중인 둘째 이모와 이쁘지만 듬직한 첫째 이모, 세상을 향한 내 생각과 같은 반 친구를 향한 마음을 담았습니다. 아직은 세상이 뭔지는 잘 모르겠지만, 어린 눈으로 바라본 세상을 향한 삶의 시선을 담았습니다.

엄마

꼭 한 쌍의 제비 같은 부부.

그대가 홍매화 같은 치마를 걸치고
이슬을 잔뜩 머금은 무궁화 같은 웃음을 걸고서
문밖으로 나설 때
언제나 내가 곁에 있으리.

부족하지만 듬직한 어린나무처럼
작지만, 커다란 개나리처럼
제비 같은 부부를 어린 제비가 지키리.

어린 제비가 부부를 위해 올리는
작은 꽃망울을
거절하지 않고 밝게 받으리.

경희 이모

그대 혼자 힘이 들 때
어찌 그 감정을 말로 하리오.

그 고생은
새가 지저귐에도 사라지지 않으리.
꽃이 핌에도 없어지지 않으리.
그러나 기억하자.

슬픔이 걷히고
행복과 환상의 커튼이 쳐지리.
봄이 찾아오고 기쁨이 지저귀리.

슬픔은 잠시
봄이라는 행복이 곧 오리.

윤정 이모 (봄의 신부)

하얀 옷, 분홍 옷 예쁘게 차려입고
수줍게 얼굴 가린 면사포가
사랑 흔들릴 때마다 신부의 행복이
흘러나오는 듯

달콤한 향기
마치 아리따운 봄의 신부처럼
수줍게 웃으며 살짝 얼굴 내민
아리따운 벚나무

하늘

기쁨에 땅이 만개하고
행복이 활짝 필 때
웃으며 안아주는 하늘.

대지의 어머니는
화내는 법이 없고,
우는 법이 없으나
자식을 잃으면
헛되지 않은 눈물을 흘리고
인간끼리 피를 흘릴 땐
올바른 노함을 알리신다.

기억하라
하늘을 욕하지 마라.

분홍이에게

하늘에 별이 걸릴 때
그대는 용궁에서 기뻐하고

땅에서 새싹이 틀 때
그대는 사랑으로 물드니

그대는 강렬한 장미이고
그대는 싱싱한 네잎클로버니

황혼의 커튼이 걷힐 때
오로지 그대만이 빛나리

네 번째 시인, 이세연

Instagram: @poem_1984

아이들에게 남겨줄 책 한 권을 위해 시를 남깁니다. 앞으로 살아갈 날이 많은 아이에게 지금의 제가 느끼는 삶을 온전하게 남기고 싶습니다. 그러다 보니 오히려 제 삶에 스스로 위로를 주고 있습니다.

잠꼬대

나는 그저 평범한 삶이었다.
언제부터인지도 모르게
중간만 하자는 생각으로 살았다.

그러다 보니 나를 들어내기보다
큰 파도 없이 잔잔한 물결을
원하는 그런 삶이었다.

점점 잃어버리는 내 존재를
큰 의미 없이 보내다 마흔 줄에
생일이 왔다.

여느 때 보다 더 티를 안 내려고
주위에 말도 안 하고 카톡 상태도
지우니 가족 외엔 몰라 너무 편했다.

아니 편하다고 혼자 위안 삼고
있었다. 그러다 아이의 잠꼬대로
내 생각이 무너졌다.

아이는 생일에 친구들을 부르고
시끌벅적하게 보내는 게 생일이라
여겼지만, 아빠는 너무 조용했나 보다.

그래서일까... 아이를 재우고 자나 싶어
옆에서 잘자라! 하고 가려는 순간

시작된 아이의 잠꼬대-

생일 축하 합니다.
생일 축하 합니다.
사랑하는 우리 아빠

생일 축하 합니다.

한참동안 눈물을 쏟았다.
그제야 알았다.

모든 존재는 탄생 자체로
축하받아 마땅하다는 것을…

역설적인 삶

커피를 마시니 오히려 잠이
쏟아진다.

잠을 자려고 누우니
오히려 낮에 일에 대한 생각만 난다.

사람이 많은 곳을 가면
오히려 더 나 혼자인 것 같이 공허하다.

혼자만의 시간을 즐기러
한적한 시골로 갔지만, 사람이 그립다.

삶은 이렇듯 역설적이다.
내 생각을 나 스스로 거역하니 말이다.

내가 먼저 나에 대해 잘 알고
함부로 스스로 예단하지 않을 때

그때부터 바로 이런 역설적인 삶에서
해방될 수 있다고 생각했다.

내 삶의 반전의 시작은 나에게서 온다.

파도를 닮은 삶 2

파도와 많이 닮아있는 삶은
바람에 영향을 많이 받는다.

이 바람은 내가 선택하는 것이
아니라 어디선가 불어오는 것이다.

그래서 예측할 수 없고 강도를
직접 부딪혀야만 알 수 있다.

파도는 지기 싫은지 바위에
철썩 소리를 내며 바람을 위협한다.

하지만 삶은 소리 한번 못 내고
그렇게 바람에 따라 휩쓸려 하루를 산다.

바람, 이놈은 만만해 보였는지
흔들리면 더 흔들리게 한다.

파도처럼 철썩 소리한 번 크게 내자.
그냥 끌려가는 삶을 살지 말자.

나 여기 있노라…바람을 맞이했지만
내가 원하는 곳으로 갈 것이라 크게!
소리한 번 질러보면 오히려 바람이
용기로 변해 삶의 의지가 될 것이다.

철썩 소리한 번 크게 내자!

다음세대

단순하지만 명확한 한 가지는
다음 세대는 적어도 우리보다는
더 잘살았으면 좋겠다는 것이다.

방법은 아주 다양하겠지만
가장 중요한 것은 함께 시간을
보내며 내 추억을 전수해 주는 것이다.

그래서
어제는 같이 눈싸움을 했고
오늘은 같이 벚꽃 아래에서 사진을 찍었다.

그리고
내일은 아마도 바닷가에 가서 파도소리
노을 아래 낚시를 할 것이다.

다음 세대에 많은 걸 바라지 말자
돈..명예..성적..이걸 바라는 순간
나와 함께하는 시간은 다 빼앗기게 될 것이다.

내가 전수해 줄 수 있는 다음 세대에게
꼭 필요한 것은 함께한 추억 그리고
행복하게 사는 법 그거면 된다.

부디 나보다 더 잘 살아라!

행복하게-

삶의 불확실성

요즘은 예측이 어려운 시대다.
많은 분야가 서로 얽혀있어
점점 더 예측이 어렵다.

그럴수록 인간의 삶은
내일도 예측 못 하는
불확실성 오류에 놓인다.

우산을 사고 레인부츠를 신었건만
해만 쨍쨍, 발에는 땀만

장바구니 상품을 고민하다 드디어
샀지만, 다음날 바로 세일 시작

집값 떨어진다 하여 기다렸건만
내가 사는 곳만 오른다.

삶은 이렇듯 불확실해서
오히려 영화보다 더 영화 같다.
스포 없는 결말..그게 삶이다.

불확실성을 두려워 말고 받아들이자
누구나 다 같은 불확실성 삶이기에...

그때부터 진정 즐기는 삶이 시작된다.

다섯 번째 시인, 손바울

Instagram: @paul_son_

할 일은 있는데 하릴없는 방 안에서 창조주의 입김이 적힌 책을 뒤적거립니다. 현상너머에 있는 실상으로 영원에의 초대를 베푸시는 이의 자애로운 음성. 그 안에서 흔들리는 인생에 깃든 자그마한 숨결을 발견합니다. 그렇게 문학을 등한시 했던 십대는 문학을 애정하는 이십대로 거듭나게 됩니다.

빗방울

이제야 알았습니다

울어버린 사진이,
굽어버린 당신의 등이
내게 말하고 있었네요

깜빡이는 처마등 아래
오래된 필름 기계는
아무 말 없이 돌아가는데

말 많고 탈 많던 우리네
살아가던 이야기였음을

이제야 알았습니다

요람에서 무덤까지
인생에게 주어진 세월이
뚝뚝 떨어지는 빗방울처럼
빠르다는 것을요

우리의 빗방울은 지금
어디쯤일까요

살맛나는 삶

목적 없는 청춘들을 본다.
생각하는 용기를 마다하는 이들.
그러나 시인은 이렇게 기도했다.

"나는 지금 어디에 와 있는가?
나는 지금 어디로 향해 가고 있는가?
나는 지금 무엇을 보고 있는가?
나는 지금 무엇을 꿈꾸고 있는가?"°

열이면 열, 자기 자신을 위해 산단다.
부유하는 행복, 그거 붙잡고자 한단다.
그러나 정작 자신이 누구인지 알지 못한다.
존재를 정의할 줄 아는 이는 아주 없다.

° 나태주의 '기도' 중에서.

태초부터 끝날까지 하나뿐인 나라는 존재.
그래서 인간은 그 자체로 존엄하단다.
그렇다면 주어진 생의 의미는 무엇인가.

누구는 가지런한 오색 크레파스 인생인데
누구는 어설피 부러진 연필심이다.
서로 찌르고 찔리고, 아주 개판이다.

그래서 존엄을 부정한다고?
인간이 인간이어서 존엄한 게 아닌데.
사랑이신 이가 인간을 사랑하셔서 그런 건데.

사랑만 해도 짧은 시간.
째깍 째깍 생각만 하다가
세월에 바람맞는다는 이들이여!
생각하지 않아도 바람은 휙휙 불어오누나.

나는 어디서 와서 어디로 가는가.
사랑하기 위해선 답해야 하리라.
죽음을 향해 달리는 인생이라는 기차는
가차 없이 가속 페달을 푹푹.
빠앙-! 칙칙폭폭 땡.

사건은 땅에서 일어나고
의미는 하늘에서 주어진단다.
하늘 없는 땅 없고 땅 없는 하늘 없다.
둘 중 하나 없다면 구분이 없기에.

하지만 영생은 영원을 아는 순간부터 시작한다.

육신과 영혼, 찰나와 영원.
구분이 없단다.
그 선을 지우셨단다.
상봉하고자 월담한 것은 신이다.
나도 알지 못하는 나를 먼저 아시고 사랑하신 거다.

영원한 생명은 그분을 아는 것이란다.
그분을 아는 자는 사랑을 '아는' 자다.
두 줄 더 그어 사랑 '하는' 자다.
사랑하기를 사랑하는 것.
사랑하신 것들을 사랑하는 것.

그 아들을.
그 아들로 사신 나를.
나와 같은 사랑 받은 남을.
그런 자들이 함께 살아가는 이 세상을.

그러니 그분을 아는 것에서 시작한다.
나라는 생의 의미가.
유의미한 생에 활기가.
목적 있는 삶의 온기가.
말 그대로 살맛나는 삶이.

삶은 라면

누군가 노숙자에게
이렇게 물었다.

“선생님, 삶이 무엇이라 생각하세요?”

그는 잠깐의 망설임도 없이
이렇게 대답했다.

“삶은 라면이지!”

뜨거운 물에 푹 삶은 라면이
왜 그의 삶의 전부가 되었나

"삶 = 라면"

이 값싸고도 단출한 방정식 앞에서
공들여 쌓아둔 철학의 탑이,
상대적 결핍에서 오던 번민의 산이
기왓장처럼
와르르 무너져 내린다

시를 마시며

시 하나에 커피 한 잔,
쌓여가는 컵을 보고 있자니
커피 하나에 시 한 잔이 담겨 있었다.
누군가 시를 마시고 있었던 거다.

흙 속에 덮여 있던 한 생명이
삭막한 도시의 틈새를 비집더니
아무 일 없었다는 듯 노오란 손을 흔든다.
바람에 떠밀려 이곳에 왔단다.
돌 같은 내 마음에 생각이 심기운다.

“후-우.”

여호와 하나님이 흙으로 사람을 지으시고
그의 코에 생기를 불어넣으신다.
그 안에서 생명이 요동친다.
그는 서서히 눈을 떴다.
그곳은 에덴이었다.

에덴 그 이후°°의 사람들이 등장했다.
스트라빈스키의 음악에 맞춰 별 해괴한 춤을 춘다.
출생의 닻을 올리자마자 죽음으로 항해하는 비애.
그것은 고통스런 격정의 춤.
후회와 저항, 완고한 체념의 춤.
여긴 어디이고 나는 누구인가?
참, 나도 그 무대 위에 있었다.

저기 저 시멘트 사이로 고갤 내민 민들레처럼
나도 바람에 떠밀려 이곳에 왔다보다.
나의 의지가 아닌 누군가의 의지대로.
이미 누군가의 손에 쥐어져 있는 나의 삶.
나의 영원한 노스탤지어의 손수건°°°은 노란색.

°° 스트라빈스키 작곡에 버틀러(Butler, J.)가 안무하여 1967년 발표된 작품. 에덴동산에서 쫓겨난 아담과 이브에 관한 내용을 고통스러운 격정, 후회, 저항, 체념의 춤으로 보여 준다.
°°° 유치환의 시 '깃발' 중에서.

할 일은 있는데 하릴없는 방 안에서
창조주의 입김이 적힌 책을 다시 뒤적인다.
말씀으로 땅의 흙을 만드시고
입김으로 생기를 불어넣으셨단다.

그분의 입김이 나를 이곳에 데려다 두었다면,
다시 돌아갈 곳도 이미 정해져 있는 게 아닌가?
나는 하늘을 향해 노란 손수건을 세차게 흔들었다.

손에서 텅텅 거리는 소리가 난다.
이렇게 또 시 한 잔을 다 마신 거다.

감추인 베일

모든 것을 가진 듯한 기쁨도
오감을 침잠시키는 슬픔도
몸과 영혼을 바칠 만한 쾌락도
비참하게 몸부림쳐대는 애통도
잠깐이면 다 사라져 버릴 것이라는 진실

그래서
이 세상에 내 것은 하나도 없다는 진리

그러나
빈손으로 갈 곳이 정해져 있다는 소망

정말로
다시는 돌아올 수 없는 지금이라는 시간

그리고
그 시간 속 어딘가를 거닐고 있는 나라는 허상

마침내
감추인 베일을 벗고 드러나는 바라는 것들의 실상

여섯 번째 시인, 박예슬

Instagram: @phtf_study @pys_study0805

16세 중3 때 제가 경험했던 일들과 생각들, 감정들을 글로 써 내려가기 시작했습니다.

저의 우울을 토해낼 곳을 찾아 다니다가 글을 쓰게 되었습니다. 평소의 저였다면 금방 포기했을 저이지만, 저의 우울들로 인해 많은 사람들이 공감과 위로가 된다하여 글을 계속해서 쓰게 되었습니다.

저의 우울과 행복들이 다른 사람들에게 행복과 위로를 받았으면 합니다. 아직 글이 미성숙하나, 성장하는 모습을 봐 주시길 바랍니다.

어른이라는 이름

'힘들다', '힘들어' 라고 말하기에는 너무 커버렸다.
주위 사람들도 힘들텐데 커버린 내가 힘들다고
징징거리기에는 주위 사람들에게 짐이 되어버리다.

만일 내가 힘들다며 울며 전화하면 누가 받아줄까,
내가 살아있는게 너무 힘들다며 하소연을 하면 과연 어떤 말을 해줄까

내가 감당하기에는 너무나도 벅찬 세상인데,
벅찬 세상에 살아가기도 너무 힘든데
세상은 나를 강하게 보는 걸까
어른이라는 이름으로 견뎌야 하는 걸까

오늘도 마음속으로 외친다
나는 아직 어리다고,
몸만 큰 어린이일 뿐이라고
세상에게 들리지 않는 마음의 소리를
오늘도 외친다.

캄캄한 밤의 놀이터

캄캄한 밤 속 희미하게 보이는 놀이터
홀로 그네에 앉아 세상의 소리들을 막을 뿐,
아무것도 듣기 싫기에,
이 순간 만큼은 세상의 소리들을 차단 한 채
마음을 다스리는 노래를 들을 뿐

달빛은 저리도 밝은데
나는 왜 밝아지지 않는 건지

참으로 이상하다
달도 날 이길 수 없이 해맑았던 거 같은데
어쩌다 이렇게 어두워졌는지

캄캄한 밤 놀이터에서 나는 무엇을 하고 있는 건지
건지놀이터 그네에 홀로 앉아 뭐를 하는 건지
캄캄한 밤 놀이터 속 홀로 쓸쓸히
홀로 있을 뿐이로구나.

되돌아가다

과연 시간을 되돌릴 수 있다면
그대로 다시 돌아갈까
지금껏 내가 쌓아왔던 것들이 물거품이 되어도
나는 돌아갈까

과연 내가 이 길을 말고 다른 길을 택했다면 어땠을까
과연 내가 그 말을 하지 않고 그냥 넘어갔다면 어땠을까

후회할 것은 많으나
되돌아갈 수 없으니 그것이 참으로 아쉽구나

나에게 상처를 주지 않을 수 있는데,
네게 상처를 주지 않을텐데,
되돌아갈 수 없는 현실이 너무나 괴롭구나

내가 나에게 상처를 줬던 지난 날들이여,
너무나도 미안하고, 미안하다는 말밖에 해줄 말이 없구나
과거의 철 없던 나를 용서해주길 바란다

한 번이라도

당신에게 한 번만이라도 더 안아줄걸 그랬어요
그랬어요그냥 그렇게 당신을 보내는 게 아니였어요
한 번이라도 더 안아주고 보내는 거였나 봐요

한 번이라도 좀 더 곁에 있을걸 그랬나 봐요
한 번이라도 좋으니 더 곁에 있고 싶은데
한 번이라도 좋으니까 곁에 기대고 싶은데

왜 그랬을까요
당신이 나를 그렇게나 아끼고 있는 걸 알면서,
당신이 나를 너무나도 사랑하고 있는 걸 알면서,
당신은 나를 잠시라도 보기 위해 단번에 달려와나를 보러 왔는데

왜 그랬을까요
나도 당신을 많이 아꼈는데,
나도 당신을 많이 사랑했는데,
나도 당신을 한 번이라도 더 보고 싶었는데

한 번이라도 좋으니 내 눈 앞에 나타나주면 안되나요,
한 번이라도 좋으니 되돌아갈 수는 없는 건가요

미안해요
그리고 늘 생각하고 있어요.

봄날

꽃이 피고 지는 봄날이여
꽃이 폈을 때의 그대는 참 좋았는데
어찌 이렇게 빨리 질까

어찌 드토록 기다리던 봄이 옴,
벚꽃이 피어나기 시작하는데,
한 줌의 재가 되어 벚꽃이 떨어지는 것 같이 가는가

보고싶어도 어찌 잡을 수 있을까
내가 잡을 수 없는 곳으로 먼 여행을 떠났는데,

꽃이 피기를 기다리는 그림자여
꽃이 피어도 이제는 저 멀리간 그대를 볼 수는 없으니
이제 그만 놓아줘야 할 때가 된 것 같소

그대라는 봄은 참으로 빨리 지나갔구나

일곱 번째 시인, 뽀뽀리

Instagram: @bbo_bboly

내가 바라보고 있는 그것이 존재 그 자체로 바라볼 수 있기를 바랍니다. 아이처럼 맑고, 강아지처럼 맡고, 세상의 편견으로부터 막고, 있는 모습 그대로를 담아내서 맛있는 풍미를 느끼는 글이 되길, 배부른 한 끼 식사가 되길, 영원히 목마르지 않는 물이 되길 소망합니다.

숨 쉴 시간을 까먹은 사람에게

코로 들이마시고
내쉬고

콧구멍으로 공기를 빨아들이세요

코로 들이마시고
내쉬고

입으로 숨을 내뱉으세요

코로 들이마실 때
다시는 숨을 내뱉지 못할 수도 있다고 생각해요

입으로 숨을 내뱉을 때
다시는 공기를 들이마시지 못할 수도 있다고 생각해요

눈물

상대의 마음을 알게 되면
일어나는 일

따뜻함과 찬 공기가 만나면
생기는 일

얼음이 상온에 놓이면
겪게 되는 일

영혼과 영혼이 만나면
벌어지는 일

엄마, 아빠

하나의 생명을 위해
빛나는 영광을 위해

인간의 가장 큰 고통을 선택하는
유일한 사람

인간의 가장 큰 책임을 선택하는
유일한 사람

이제는 내가 사는 것이 아니요
나를 살리신 사랑의 힘이 사는 것

리더쉽

많은 바람을 혼자 제일 많이 이겨내는
가운데 철새

혼자 가지 않고 함께 가는
철새

제일 약한 자를 뒤에 세워 보호하는
철새

잘 오고 있지?

힘들면 말해!

인간이 멈추게 할 수 없는 것

시간,

나이,

떠난 기차,

이별,

노화,

죽음,

내리는 비,

사랑